La Alhambra contada a los niños

Texto
Ricardo Villa-Real

Dibujos
Pilarín Bayès de Luna

Ediciones Miguel Sánchez

© Ediciones Miguel sánchez, C.B.

C/ Marqués de Mondéjar, 44. Granada

© Dibujos: Pilarín Bayés de Luna

Fotocomposición: Portada, S.L. C/. Palencia 25, bajo 5. Granada

Fotomecánica: Master Crom, S.A. Móstoles (Madrid)

Impresión: Grefol; S.L.

Papel: Creator matt   TORRAS PAPEL

I.S.B.N.: 84-7169-051-9
Depósito legal: GR-595-1997
Printed in Spain

El abuelo, de barba blanca, sonríe complacido. Ha enseñado la Alhambra y el Generalife, a sus tres nietos y a una amiguita que les acompaña.

Bajan por el bosque frondoso, luego de la visita, con tantas emociones. El abuelo contempla la carita de Pepito, que va a cumplir los diez años, llena de regocijo. Y los azules ojos llameantes de Rosy, que ha cumplido los once. El rostro pensativo de Luisín, de la misma edad. Y la actitud curiosa y casi contemplativa de la amiguita de todos ellos, Juanita, que ronda los doce.

Se siente satisfecho porque les ha prodigado, a los cuatro, y ha sembrado en sus mentes infantiles y en sus corazones nuevos, savia cultural, y arte e historia.

Bruscamente, Rosy se detiene, y con ella todos los demás. Y dice: "Abuelo ¿por qué no les cuentas a todos los niños que puedas estas cosas tan bonitas que nos has contado a nosotros?".

El abuelo queda un momento pensativo. Y entonces decide, en la medida de sus posibilidades, complacer a la nieta. Y así nació este pequeño relato.

UN POCO DE HISTORIA

Érase que se era, y que es, una bellísima ciudad, en el sur de España, llena de encanto y de vida, y de historia y de arte: Granada. Hermosos palacios, imponente Catedral, fascinante Capilla Real, iglesias y conventos múltiples, jardines, barrios —como el Albaicín— llenos de calles y callejas retorcidas y misteriosas...

Pero entre tantos monumentos, hay uno que a todos les gana. Me refiero a la Al-

hambra. En ella, la imaginación y la fantasía vuelan que vuelan. Como es oriental, quien la visita sueña con hadas y genios, y con ogros, y con tesoros escondidos, y con sultanas y princesas, y con misterios. Lo mismo que con los cuentos de las *Mil y una noches*.

Pero veréis. Ahora no se trata de una fantasía, sino de una realidad. Vamos a dejar los sueños y vamos a contar la Alhambra *de verdad*. Mas antes es muy conveniente que sepáis algo de su historia. ¿De acuerdo?

Vosotros sabéis, porque ya os lo han enseñado en el "cole", que España siempre fue invadida por pueblos extraños. Vinieron los fenicios y los griegos, para comerciar. Vinieron los cartagineses, para conquistar. Vinieron los romanos, que fueron dueños de ella durante siglos; y que entre otras muchas cosas nos dejaron nuestro bellísimo idioma. Vinieron los visigodos.

De todos estos pueblos hemos heredado un sin fin de cosas, y costumbres, y hasta leyes, y multitud de palabras.

A principios del siglo VIII llegaron los árabes, cuya religión es el *islamismo*. Nosotros les llamamos *musulmanes, mahometanos, sarracenos...* Fueron, por sus hazañas, porque eran muy valientes, dueños de España entera, salvo algún rinconcito del Norte. Eran, además, sabios y cultos, y tuvieron su esplendor con el Califato de Córdoba. Pero... pelearon entre ellos mismos y contra los cristianos. Y entonces perdieron su unidad y se dividieron en multitud de pequeños reinos independientes (llamados *taifas*). Y de ello, claro está, se aprovecharon los cristianos para reconquistar tierras (reinos de Asturias, y de León, y de Castilla, y de Navarra, y de Aragón...).

Uno de estos reinos musulmanes fue el de Granada. Aquí hubo dos dinastías de *emires* (o reyes): la *zirí*, con

cuatro monarcas, y la *nazarí*, con muchos sultanes.

Estos nazaritas embellecían las ciudades de su pequeño reino: Málaga, Almería... Pero la predilecta fue Granada. Y la joya más preciada que construyeron y mimaron fue la Alhambra.

LA ALHAMBRA

Para los poetas, la Alhambra es "una corona sobre la frente de Granada", "un paraíso en la tierra", "un rubí en las sienes de la ciudad", un sueño, un tesoro de armonía y de luz... Y muchas cosas más.

Pero dejemos a los poetas. ¿Qué quiere decir Alhambra? Pues significa "la roja". De manera que en lengua árabe *alqalá al hamra* quiere decir castillo rojo o bermejo. Dicen que este nombre procede del color rojizo de las torres y murallas, que con las estrellas es de plata y con el sol se cambia en oro. Todos los reyes nazaritas la mimaron. Los cuatro monarcas que más la embellecieron fueron: en el siglo XIII, Muhammad al-Ahmar, fundador de la dinastía, y su hijo; y en el siglo XIV, Yusuf I y su hijo Muhammad V.

Pero no olvidéis, amiguitos, que la Alhambra fue, además de corte y residencia-palacio (en árabe, *alcázar*), una fortaleza para defenderse (en árabe, *alcazaba*) y hasta una pequeña población (en árabe, *medina*).

Puerta de la Justicia. La magnífica puerta de acceso a la Alhambra se llama *Puerta de la Justicia* (o mejor, puerta de la *Explanada*). Es, como veis, imponente, teñida de naranja y oro. Fijaos bien, y que no se os escape este detalle: En el primer arco de herradura, al exterior, veis grabada una mano muy grande (seguramente un talismán o amuleto de la buena suerte). Y en el segundo arco, más pequeño, se ve grabada una llave, que significa el poder y la autoridad.

Una bonita leyenda de hace siglos nos cuenta

que debajo de esta puerta hay, nada menos que un palacio suntuoso y que en él viven un astrólogo árabe que tiene hechizada a una cautiva cristiana de ojos azules y cabellos dorados. Este hechizo desaparecerá algún día y entonces... ¡ah, entonces la mano cogerá la llave y desaparecerá la Alhambra! ¡Uf!

Plaza de los Aljibes. Esta plaza o explanada se llama *de los Aljibes* porque bajo ella hay depósitos de mucha agua fresquita y buena (*aljibe* significa cisterna). Un pequeño quiosco, un pozo... Durante siglos, los granadinos han bebido y gustado de esta agua, llevada a la ciudad, por los aguadores, en asnos casi siempre.

Había una vez, y va de cuento, un aguador llamado Peregil, quien, hombre bueno y compasivo, socorrió, junto a este pozo, a un pobre moro muy enfermo y lo llevó a su casa. El moro, agradecido, le legó un curioso pergamino y una vela, extraña en su composición. Con estos artilugios, más tarde, Perejil descubriría un gran tesoro en el subterráneo de la Torre de los Siete Suelos...

A la derecha de la plaza, hay una preciosa *Puerta* llamada *del Vino*, con graciosa ventanita geminada…

y la misteriosa llave. Y también a la derecha, el espléndido **Palacio de Carlos V**. Y enfrente, el barrio del Albaicín, que veremos mejor más adelante. Y a la izquierda una serie formidable de torres. Es la Alcazaba.

La Alcazaba. Alcazaba significa fortaleza, castillo defensivo, situado casi siempre en lo alto de un cerro o colina. Y servía para proteger el palacio y la ciudad. Por todo el territorio había torres o *atalayas*. Si se descubría algún peligro, unas llamas o fogatas, por la noche, o una intensa huma-

reda por el día, prevenían y avisaban. Algo parecido a lo que habéis visto que hacen los indios en las películas del oeste americano. A la entrada está el lindo jardín de los *Adarves* (*adarve* es el camino en lo alto de una fortaleza).

Un rinconcito, un pasadizo... y la **Torre de la Vela**. Aquí, *vela* no es lo que os figuráis, cirio, sino *vigilia, vigilancia*, es decir, centinelas y guardias. Es la torre más alta de todas las otras (*del Homenaje, de las Armas*). Nuestros ojos, admirados, contemplan, en las cuatro direcciones, un panorama maravilloso y único. Un poeta había dicho:

Dale limosna, mujer,
que no hay en la vida nada,
como la pena de ser
ciego en Granada.

Como nosotros, gracias a Dios, no estamos ciegos, podemos gozar ahora con la contemplación, o del río Darro, profundo bajo nuestro parapeto; o del **Albaicín**, uno de los barrios más famosos del mundo, tan blanco, con sus casitas apretadas, y sus *cármenes*, y sus iglesitas y conventos, y sus placitas recoletas y sus callejas retorcidas... O de la *Vega*, donde la mirada se pierde en el horizonte; o de la ciudad, a nuestros pies; o de la Sierra Nevada, con sus picos, los más altos de la Península, o... ¡qué sé yo! La torre de la Vela, y su campana, son símbolos para los granadinos. Y nos acordamos de la coplilla:

Quiero vivir en Granada
solamente por oír,
la campana de la Vela
cuando me voy a dormir.

¿Sabéis, amiguitos, ¡qué risa!, que las niñas y las mocitas, tocan esta campana, ciertos días del año, para evitar quedarse solteras?

LA CASA REAL

Así se llaman los palacios de la Alhambra. Como todos los palacios orientales, encierran en su interior, fundamentalmente, tres departamentos. Y cada departamento tiene su patio correspondiente y edificaciones en torno. Los tres departamentos que vamos a disfrutar son, con sus nombres españoles y árabes, los siguientes: El **Cuarto Dorado (Mexuar),** el **Cuarto de Comares** (Corte oficial), y el **Cuarto de los Leones (Harén)**. En el primero se impartía la justicia; en el segundo, la política y la diplomacia, y en el tercero se hacía la vida familiar de los reyes.

MEXUAR. "Entra y hallarás justicia". Eso decía, en tiempo de los musulmanes, un azulejo que había en la pared: "Entra y pide. No temas pedir justicia, porque aquí la encontrarás".

Pasito a pasito, una deliciosa galería o pórtico, un bonito y cuidado jardín (llamado *de Machuca*, porque aquí vivió el arquitecto que edificó el palacio del Emperador Carlos V). Una alberquita... y muchas flores.

La *sala*. No os desconcertéis porque veais algunos motivos cristianos, que se pusieron aquí. Lo precioso de ella son los *arabescos* (adornos de hojas y dibujos), las cuatro esbeltas columnas, la hermosa decoración de *estuco* (que es yeso blanco y agua de cola), los *alicatados* (azulejos)... Al fondo de la sala hay un pequeño *oratorio*. Es una preciosidad, con esta inscripción: "Ven a orar". Unas ventanitas geminadas (partidas o divididas) por medio de una columnita llamada *parteluz* (algunos le llaman, impropiamente, *ajimez*).

Y ahora, el *patio*. Pero antes, un consejo. De aquí en adelante, y cuando no sea en espacios abiertos, sino en salas y salones, lo primero es mirar al techo, sea o no artesonado. ¿Y sabéis por qué? Sencillamente, porque los árabes lo cuidaban con mucho mimo, y son, casi todos, un encanto.

Este patio es pequeño y sus columnas tienen extraños capiteles. En el centro, una hermosa taza de mármol; y la fachada, bellísima: arabescos, ventanitas, celosías, friso de madera tallada, gran alero... Por cierto, ¡qué cosa más divertida! Los granadinos, con mucha gracia, dicen que el mármol de la puerta derecha, que aparece encorvado, está así, porque lo cortaron ¡cuando aún estaba verde!

CUARTO DE COMARES. Aquí todo el mundo se queda con la boca abierta. Es natural. **Patio de los Arrayanes.** ¿Sabéis lo que es *arrayán*? Esta es una palabra árabe que equivale a la nuestra, *mirto*, que es un arbusto o planta olorosa.

Este patio, rectangular y con alberca, es el centro del palacio real, que algunos llaman *serrallo*, palabra árabe o persa que se

confunde siempre con *harén*. Este último, como veremos, es la residencia familiar o privada de los reyes musulmanes.

Como veis tiene una gran alberca en el centro, macizos de arrayán que la bordean y estancias a los lados. Nos imaginamos, desde el pórtico sur, a los reyes de fuera y a los embajadores extranjeros admirados, embobados, mientras el monarca granadino los espera recibir en su trono, bajo la *torre de Comares*, tan hermosa. Despacito, para aumentar nuestro gozo, nos dirigimos hacia el otro pórtico, con columnas, y bóvedas y arcos de *mocárabes* (es decir, estalactitas. Adornos que penden, casi siempre en forma de pirámide invertida). En los muros, esos extraños signos que vemos, son los caracteres de la escritura árabe. Piadosas oraciones y poesías, entre ellas, muy repetido, como en toda la Alhambra, el lema de los emires nazaríes: "Sólo Dios es vencedor".

Sala de la Barca. A uno y otro lado de la entrada, dos nichitos o tacas, o pequeñas alacenas, que la gente llama *babucheros*, pero no es verdad que sirvan para poner babuchas, sino para colocar en ellos luces, o vasijas con agua, o macetitas con flores. ¿Y por qué la llaman de la Barca? Unos, y tampoco aciertan, dicen que el nombre le viene de su hermosísimo techo, que parece la quilla de una barca boca abajo. Lo cierto es que procede de una palabra árabe, *baraka*, que significa bendición, salutación.

Y ya estamos en el salón del trono. Se llama **Salón de Embajadores**, que ocupa el recinto admirable de la gran torre de Comares (en árabe, *comarías* son las vidrieras de colores). ¡Qué grandioso es!, ¿verdad? Son nueve estancias con sus respectivos balcones. En el centro, se supone que estaba el trono del monarca, frente por frente al patio.

No, no me extraña que os quedéis, una vez más, embebecidos, cuando admiráis el techo del salón y la bóveda que lo cubre, con su cúpula de madera de cedro, con sus ventanillas, con sus frisos de arabescos y mocárabes, con sus estrellitas...

Antes de seguir adelante, quiero contaros algo de historia, *interesantísima* y que os ilustrará, estoy seguro, mucho y muchísimo.

do *El Zagal*, que en árabe significa "el valiente", hermano de Hassan, y por tanto, tío de Boabdil. Los musulmanes granadinos no se entendían, se mataban entre sí.

Porque resulta que Abul Hassan repudió a Fátima la "Horra" para hacer su favorita a una cautiva cristiana, Isabel de Solís, llamada Zoraya por los granadinos. Y despreció y odió a su hijo Boabdil, a quien quiso matar. A Boabdil los cristianos le pusieron un mote o apodo, el *Rey Chico* (porque no tenía tanto poderío como su padre). A su vez, sus súbditos le llamaban el *Zogoibi*, que quiere decir el "desventurado", el ¡pobrecillo!

Murió Abul Hassan, quien por cierto, según la tradición, mandó ser enterrado entre nieves eternas, en Sierra Nevada

BOABDIL, ULTIMO REY DE GRANADA.

Desde uno de estos balcones del Salón de Embajadores, que dan al río Darro, descolgó la reina Fátima, su madre, llamada *Aixa la Horra* (La reina honesta), a su hijo Boabdil, para librarlo de la muerte. Porque habéis de saber que, cuando los Reyes Católicos, Fernando de Aragón e Isabel de Castilla, sitiaban la ciudad, luego de haber conquistado casi todo el reino nazarí, había en éste nada menos que tres reyes. El primero, Muley Abul Hassan (Mulhacén para los cristianos). Era el segundo, su hijo Boabdil, que se sublevó contra él. Y era el tercero, el llama-

(Mulhacén, como sabéis, es la montaña más alta de la Península). Vencido y desterrado el Zagal, quedó solo Boabdil como rey. Prisionero primero, puesto en libertad, y desterrado después, Boabdil firmó en el Salón de Embajadores la rendición y entrega de Granada y de la Alhambra.

¿Qué pasó después? Vosotros, como todo el mundo, habéis oído hablar de la tradi-

ción. Fue en el *Suspiro del Moro.*
Pero mejor que contároslo yo,
leed el romance de aquel tiempo
que lo cuenta así:

Desde una cuesta muy alta
Granada se aparecía.
Volvió a mirar a Granada
desta manera decía:
¡Oh, Granada la famosa
mi consuelo y mi alegría!
¡Oh, mi alto Albaicín
y mi rica Alcaicería!
¡Oh, mi Alhambra y Alijares
y mezquita de valía!
Mis baños, huertas y ríos
donde holgar yo me solía...
que ayer era rey famoso
y hoy no tengo cosa mía...
Iba su madre delante
con otra caballería;
viendo la gente parada
la reina se detenía,
y la causa preguntaba
porque ella no la sabía.
Respondióle un moro viejo
con honesta cortesía:
—Tu hijo llora a Granada.
Y la pena le afligía.
Respondido había la madre
desta manera decía:
—Bien es como mujer
llore con grande agonía,
el que como caballero
su Estado no defendía.

Además de la reina madre, iban al
destierro, en el triste cortejo, Morai-
ma, mujer de Boabdil, y sus hijos.
Vivió Boabdil un poco tiempo en las
Alpujarras y luego marchó a África
donde vivió y murió oscuramente.

CUARTO DE LOS LEONES (HARÉN).-

Patio bellísimo, maravilla de delicadeza, el **Patio de los Leones**, que tantas veces habréis admirado en fotos y grabados. Bueno, pues ahora estáis en él.

Como dijimos antes, este patio, con sus edificaciones y dependencias, constituye el *Harén*, donde transcurre la vida familiar y hogareña del emir, lejos del bullicio y compromiso cortesanos.

He aquí mucho que ver y mucho que contar. Sí, amiguitos. Lo primero... ¿cómo os diría?, es establecer, con la imaginación, algunas comparaciones. Por ejemplo: Se parece a un bosque de 124 palmeras, que eso semejan las columnas. Se parece a un oasis del desierto en torno a la fuente central con sus doce leones. Se parece al claustro de un monasterio, con sus templetes de arquería triple. Se parece... (ea, que vuestra imaginación vuele).

La *fuente*, de mármol, reposa sobre los lomos de los leones. El agua, tan amada por

los árabes, asciende y se desparrama desde la taza a la boca de las fieras, y desde
allí se reparte por doquier. Y en el borde
de la pila, una poesía (*qasida*, en árabe)
nos dice, entre otras cosas, que el agua,
"perlas de transparente claridad", es "líqui-
da plata que corre entre las joyas", y que
a "los leones, faltos de vida, le impide ejer-
cer su furia"...

Sala de los Abencerrajes. Está al sur del patio. Es famosa por su belleza... y por la leyenda, que se confunde con la historia. Porque aquí fueron degollados numerosos caballeros de la ilustre familia de los Abencerrajes (palabra que en árabe significa *hijos del sillero*) por orden del cruel Muley Abul Hassan, porque eran partidarios de Boabdil y de su madre, así como de El Zagal.

Pero veamos algunos detalles de la sala: La puerta de acceso, con preciosa decoración; la bellísima cúpula estrellada; las dieciséis ventanitas, tan lindas; los zócalos (que en arquitectura árabe se llaman *almatrayas*); las dos alcobas... y la pila de mármol blanco. ¿Y qué vemos en ella? Unas manchas que parecen sangre. ¿Será esto señal de las degollinas? No y no, amigos míos. La verdad es que estas manchas provienen de la herrumbre ocre del mármol. Claro que no es fácil, en ningún rincón de la Alhambra, escapar de la fantasía.

Sala de los Reyes. Esta sala, o mejor, salón corrido, en la parte este del patio, se llama *Sala de los Reyes*, y más impropiamente, *de la Justicia.* Es muy curiosa. Fijaos bien: ¿no parece un teatro? Tan alargada, dividida en tramos por medio de seis preciosos arcos, tres pórticos, y los arcos dobles de mocárabes. En los extremos, dos alcobas.

¿Sabéis una cosa? Pues que en esta sala se celebró la primera misa, cuando los Reyes Católicos se hicieron dueños de Granada y de la Alhambra. Podéis imaginaros, en este lugar, la corte, los caballeros... Lujo, armas, banderolas y estandartes... ¡Ah! Y en un rinconcito, solo, aislado, un desconocido entre reyes y príncipes y nobles y soldados y clérigos. ¿Sabéis quién era? Pues... Cristóbal Colón, nada menos. Sí, amiguitos: El futuro descubridor del Nuevo Mundo había esperado con toda paciencia a que los reyes entraran en la ciudad, para después firmar en Santafé las capitulaciones del descubrimiento.

Me preguntaréis: Bueno ¿por qué se llama *de los Reyes?* Muy sencillo: por la pintura en el techo que hay en una de las alcobitas laterales, que representa a diez reyes nazaritas. Y en las otras dos pequeñas alcobas hay otras pinturas encantadoras, que representan cacerías y torneos, y castillos y hasta una partida de ajedrez.

Sala de las Dos Hermanas y **Mirador de Daraxa.-** En la parte norte del patio de los Leones se halla la *Sala de las Dos Hermanas*. No, no soñéis en leyendas ni fantasías. Porque las dos misteriosas hermanas son... las dos grandes losas de mármol del pavimento que rodean la pila y el surtidor. (Una curiosa observación: se ha dicho, y es verdad, que los árabes, que tanto aman el agua, gustan que ésta se deslice susurrante, casi callada y humilde, sin estrépito).

Sí, lo comprendo. Otra vez os quedáis con la boca abierta: Cúpula maravillosa, encanto sin límites, luminosidad, decoración bellísima, a base de alicatados y *atauriques* (labor oriental, esculpida o pintada, que se inspira en motivos vegetales). Y por todo el zóca-

lo de azulejos, un poema de alabanza. Una salita contigua se llama de los *Ajimeces.* En el centro de la misma, el *Mirador de Daraxa,* que servía de alcoba a la reina. La gente dice *Lindaraja* —como el patio que hay debajo— pero *daraxa* significa "casa de la reina". Tiene un zócalo de azulejos, chiquititos, que es una maravilla. Las ventanas son bajas, porque habéis de saber, que es costumbre musulmana el reclinarse en el suelo sobre cojines. Y así se veía mejor el paisaje, tapado en tiempos posteriores por otras habitaciones del *Patio de Lindaraja.*

Los baños. Los árabes eran muy limpios y curiosos. Amaban el agua y el baño. Aquí, en este palacio de musulmanes, no podían faltar. La primera sala, llamada *del Reposo* o *de las Camas,* es la última en recorrer, después de haber pasado por otras dependencias y pilas para baños de agua caliente y fría, y sala para baños de vapor (hoy decimos *sauna*), luego... ¡hala! a descansar. Por eso vemos piletas, nichos o camas, que en aquellos tiempos se cubrían de tapetes y cortinas. ¿Os imagináis cómo sería la Alhambra toda con muebles y cortinas?

JARDINES DEL PARTAL Y TORRES. La luz y los colores, y todos los matices, deslumbran. Y los árboles y arbustos, y las flores, y el agua por todas partes. Es el *Partal* (o pórtico).

Murallas y muchas torres. Os diré cómo se llaman. La primera, con un gran estanque, es la torre de *las Damas.* Luego, un pequeño *oratorio.* Luego, la torre *de los Picos;* luego la del *Cadí* (que en árabe significa *juez*). La gente ¡qué gracioso! dice del *Candil.* Luego la torre *de la Cautiva,* porque dicen que aquí vivía Isabel de Solís, *Zoraya.* A continuación la torre *de las Infantas*. ¡No dejéis de entrar en ella! Es una monería, un juguete. Por cierto que es lugar de varios cuentos o leyendas. Ahora me acuerdo de dos. La de las tres bellas princesas, Zaida, Zoraida y Zorahaida y de tres caballeros cristianos cautivos, y la leyenda de la "Rosa de la Alhambra", quien, con su laúd mágico y su voz maravillosa sacó y curó de su hechizo y depresión nada menos que al rey Felipe V. ¡Ahí va! Las torres que siguen tienen menos interés y enlazan con la Puerta de la Justicia.

EL GENERALIFE

El jardín de los jardines. "Huerta que par no tenía". Es verdad. El Generalife es el más famoso jardín de España. Bueno, y si me apuráis, de los más famosos del mundo. Jardines y más jardines, y huertas, recostados, colgados de una ladera. Era... ¿os lo digo? una *almunia* (en árabe huerta) real, una casa de recreo de los emires.

Si queremos saber lo que significa *Generalife* nos hacemos un pequeño lío. Para unos, "casa de deleite"; para otros, "jardín del Paraíso". La verdad, y no os engaño, es que significa "jardín del *alarife*". (Esta palabra árabe equivale a arquitecto o maestro de obras).

Entramos por el paseo *de los Cipreses*, esbeltos y copetudos. Después, jardín o paseo *de las Adelfas*, con bóvedas de flores y arbustos. ¡Ajajá! ya está aquí el celebérrimo *Patio de la Acequia*, rectangular y entre edificaciones, con sus famosos surtidores. El patio tiene dos pórticos. En uno de ellos, y va de cuento, estuvo encerrado (según una preciosa leyenda) el príncipe Ahmed al Kamel, a quien llamaban "El peregrino de amor". Había aprendido el lenguaje de las aves y tenía como amigos, en su soledad, a un murciélago, una golondrina, un gavilán, unos ruiseñores, una paloma fiel... Claro que sus preferidos fueron un búho y un papagayo, que le ayudaron a conquistar a una princesa cristiana con la que Ahmed se casó. El príncipe, cuando fue rey, agradecido, nombró al búho su primer ministro, y al papagayo, ministro de ceremonias, nada menos. Ésta y otras muchas leyendas las podéis leer en los bellos *Cuentos de la Alhambra* de Washington Irving.

Junto al patio de la Acequia está el *patio de los Cipreses* o de la *Sultana*, porque según la tradicion, en el tronco de uno de estos árboles se escondió una vez una reina. Y hay unos jardines *altos*, con su *Escalera de las Cascadas*, por cuyos pasamanos corre el agua. Y también los *jardines nuevos*, porque son recientes, con rosaledas y pérgolas y flores y agua por doquier y vistas bellísimas, y un teatro al aire libre...

* * *

Cuando hayáis terminado de ver todas estas maravillas, repetid en vuestro interior: ¡Tengo que volver! ¡Tengo que volver!

Y colorín colorado...

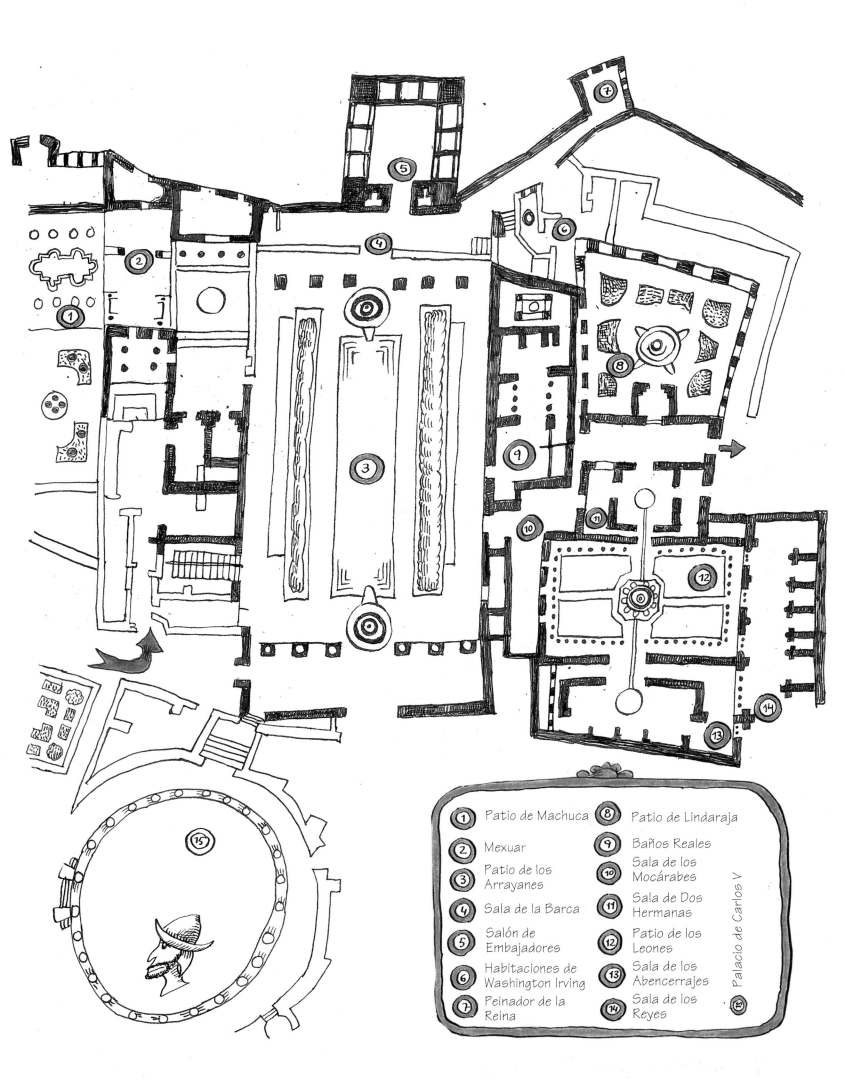

(1)	Patio de Machuca	(8)	Patio de Lindaraja	
(2)	Mexuar	(9)	Baños Reales	
(3)	Patio de los Arrayanes	(10)	Sala de los Mocárabes	
(4)	Sala de la Barca	(11)	Sala de Dos Hermanas	
(5)	Salón de Embajadores	(12)	Patio de los Leones	
(6)	Habitaciones de Washington Irving	(13)	Sala de los Abencerrajes	
(7)	Peinador de la Reina	(14)	Sala de los Reyes	
		(15)	Palacio de Carlos V	